bricks

Philippe CHAVANNE

Dormonval
CH – LUCERNE

> > > **PRÉPARATION TRÈS SIMPLE**
> > > **PRÉPARATION FACILE**
> > > **PRÉPARATION ÉLABORÉE**

• • • **PEU COÛTEUSE**
• • • **RAISONNABLE**
• • • **CHÈRE**

› Photographies : SAEP/Annabelle ROSE sauf couverture
SAEP/Jean-Luc SYREN et Valérie WALTER.
› Graphisme : Valérie RENAUD.
› Coordination : SAEP/Éric ZIPPER.
› Composition et photogravure : SAEP/Arts Graphiques.
› Impression : Union Européenne.

Conception › saep création - 68040 Ingersheim - Colmar

Si vous avez déjà eu l'opportunité de voyager au Maroc, en Algérie ou en Tunisie ou si vous avez l'habitude de fréquenter les restaurants maghrébins installés dans nos régions, nul doute que vous avez déjà savouré ces délicieuses préparations connues sous le nom de « bricks » ou de « briouats ».

› Emblématique de la cuisine d'Afrique du Nord et du monde arabe, la feuille de brick – constituée essentiellement d'eau pure et de la plus fine des semoules – est indissociable de la traditionnelle pastilla. Mais, sous ces horizons exotiques et ensoleillés, elle se prépare aussi de mille et une autres savoureuses manières : feuilletés, briouats, aumônières...

› Succès aidant, la feuille de brick a allègrement franchi les limites de cette région du monde. Elle a traversé la Méditerranée pour se tailler une place de choix dans nos cuisines et sur nos tables.

› Désormais incontournable, la feuille de brick n'est plus uniquement réservée aux préparations gourmandes « venues d'ailleurs ». Elle se décline suivant une infinité de variantes plus originales mais surtout plus succulentes les unes que les autres.

› Convenant aussi bien aux parfums exotiques qu'aux saveurs « bien de chez nous », aussi à l'aise avec des préparations salées qu'avec des ingrédients sucrés, la feuille de brick – pliée en cigare, en triangle, en rectangle..., voire présentée en corolle ou en aumônière – est une véritable boîte à malice gastronomique.

› Désormais, c'est sûr, l'imagination est au pouvoir ! Elle accompagne la viande, la volaille, les crustacés ou le poisson. Elle s'accommode des légumes les plus frais et des fruits les plus savoureux. Elle apprécie la compagnie du miel et des fruits secs, mais aussi celle du fromage, du yaourt ou de la crème glacée.

› Aussi fine que la plus délicate des dentelles, elle apporte une petite touche d'originalité aux préparations les plus traditionnelles et aux ingrédients les plus courants. Facile d'utilisation, s'invitant à la table de l'apéritif au dessert, elle fait toujours le ravissement et le bonheur des gourmets et des gourmands.

› De nombreuses recettes très diversifiées vous sont proposées au fil des pages de cet ouvrage : recettes classiques ou plus insolites, préparations exotiques ou de nos terroirs, saveurs salées ou sucrées... Il y en a pour tous les goûts, pour toutes les envies et pour toutes les occasions, de la table quotidienne au repas de fête.

› Alors... à vos fourneaux ! Vos convives ne demandent qu'à être surpris et émerveillés !

ACHAT, PRÉCAUTIONS ET CONSEILS

La feuille de brick est une spécialité de l'Afrique du Nord. Là-bas, chaque cuisinière met un point d'honneur à confectionner ses propres feuilles de brick, au fur et à mesure des besoins et selon une recette traditionnelle transmise de mère en fille, au-dessus des fourneaux.

Si les ingrédients de base sont faciles à trouver et peu nombreux, la confection de belles feuilles de brick demande cependant du temps et relève bel et bien de l'art. Les gestes doivent être corrects et précis pour arriver à ces belles feuilles d'une extraordinaire délicatesse.

Bonne nouvelle ! Si vous voulez cuisiner des bricks, il n'est pas besoin de répéter les gestes séculaires des cuisinières maghrébines. Désormais, les feuilles de brick sont disponibles dans la toute grande majorité de nos commerces. Elles sont généralement proposées précuites sur une face (ce qui les rend quelque peu rigides et plus faciles de maniement), soit en disques, soit en rectangles. Elles sont séparées l'une de l'autre par une feuille de papier, ce qui permet de les détacher aisément.

Quelques conseils d'achat et d'utilisation

› Dans le magasin, privilégiez toujours les feuilles sans pliure centrale, qui seront plus faciles à manier et à plier. Si les feuilles rectangulaires sont pliées en deux dans l'emballage, choisissez plutôt les feuilles de brick rondes.

› Conservez toujours les feuilles de brick dans leur emballage d'origine, bien fermé. Cela évitera qu'elles ne dessèchent et qu'elles ne deviennent cassantes.

› Si vous utilisez des feuilles de brick extraites d'un paquet déjà ouvert, disposez-les sur un linge légèrement humide et laissez-les reposer pendant 15 minutes environ. Cela leur rendra une certaine souplesse.

› Roulées en forme de cigares, les bricks doivent être fermées au blanc ou au jaune d'œuf. Cela évitera que la farce s'échappe en cours de cuisson. Si vous confectionnez des aumônières, utilisez des brins de ciboulette ou, à défaut, de la ficelle alimentaire pour les fermer. Retirez le brin de ciboulette ou le petit bout de ficelle avant de proposer les aumônières à vos convives.

› Si vous devez cuire des feuilles de brick seules, non garnies, vous pouvez les glisser entre deux grilles afin qu'elles restent bien plates.

› Il pourrait arriver que votre farce soit trop liquide. Une seule astuce, dans ce cas, mais très fiable : doublez tout simplement le fond avec un morceau de feuille de brick. Cela va le consolider.

CIGARE, RECTANGLE OU TRIANGLE

› La feuille de brick présente – parmi bien d'autres – cet avantage qu'elle peut être pliée de multiples manières.

› En dehors de la traditionnelle corolle ou du feuilleté, les trois principales formes que l'on donne habituellement à la feuille de brick sont le cigare, le rectangle ou le triangle.

› Pour réaliser un triangle parfait, vous devez disposer la feuille de brick coupée aux bonnes dimensions sur un plan de travail. Déposez la farce au centre de la feuille, vers le bas et à environ 2 cm du bord. Rabattez ensuite les 2 côtés de la feuille sur la garniture, dans le sens de la longueur. Commencez par le côté farci et pliez la bande obtenue sur elle-même et en biais, de manière à former un triangle.

› Pour confectionner un rectangle, vous pouvez procéder comme pour le triangle. Une seule différence : après avoir rabattu les 2 côtés de la feuille sur la garniture, vous devez replier la bande de manière à obtenir un rectangle. N'oubliez pas de l'aplatir légèrement du plat de la main, sans toutefois complètement écraser la farce ou endommager la feuille de brick.

› Enfin, la réalisation du cigare suit le même principe que les deux formes précédentes. Disposez la feuille de brick sur un plan de travail, déposez la farce de la même manière que pour le triangle et rabattez les 2 côtés de la feuille sur la garniture, dans le sens de la longueur. À cette étape, roulez la bande obtenue sur elle-même, en commençant par le côté farci, et rentrez les bords à l'intérieur du cigare.

bricks aux courgettes et aux tomates, en tarte

3 gousses d'ail / 2 tomates / 1 grosse courgette / 4 cuil. à soupe d'huile d'olive extravierge / 1/2 bouquet de ciboulette fraîche / Quelques brins de basilic frais / Beurre / 3 feuilles de brick / 50 g de parmesan fraîchement râpé / 4 œufs entiers / Sel, poivre.

• • • 〉〉〉 4 PERS. – PRÉP. : 20 MIN – CUISS. : 25 MIN

1 Peler les gousses d'ail. Laver et équeuter les tomates avant de les couper en rondelles. Laver la courgette et la couper en rondelles.

2 Verser l'huile d'olive dans une poêle et faire chauffer. Y faire frire les rondelles de courgette et les assaisonner de sel et de poivre selon le goût. Réserver.

3 Mettre les gousses d'ail, le demi-bouquet de ciboulette et les brins de basilic dans le bol d'un mixeur et mixer.

4 Beurrer un plat à tarte et y étaler les feuilles de brick. Y disposer les rondelles de tomate et de courgette, puis saupoudrer avec le tiers du parmesan râpé.

5 Casser les œufs et les verser sur la préparation. Ajouter ensuite la préparation à l'ail et saupoudrer enfin avec le reste de fromage râpé.

6 Enfourner à 180 °C (th. 6) et faire cuire entre 12 et 20 minutes, en surveillant la cuisson.

7 Servir dès la fin de la cuisson, bien chaud.

Astuce : il ne faut jamais laisser des rondelles de courgette trop longtemps à l'air. Elles ont en effet tendance à sécher et à jaunir.
Moins connue que d'autres variétés, la courgette jaune, que l'on rencontre parfois sur les étals, est une savoureuse courgette estivale de couleur jaune or et qui résiste superbement bien à la cuisson. Il est préférable de la choisir relativement petite (elle sera moins aqueuse), mais bien ferme et parfaitement lisse. Les courgettes jaunes et rondes sont en principe originaires de la région niçoise.

bricks aux épinards et à la feta, comme en Grèce

3 gousses d'ail / 1 boîte d'épinards en branches / 150 g de feta / 50 g de pignons de pin / Huile d'olive extravierge / 4 feuilles de brick / 1 jaune d'œuf / Sel, poivre.

● ● ● ❱❱❱ 4 PERS. – PRÉP. : 20 MIN – CUISS. : 20 MIN

Peler et hacher les gousses d'ail. Égoutter soigneusement les épinards et les mettre dans un grand plat creux. Émietter la feta et l'ajouter aux épinards, ainsi que les pignons de pin.

Mélanger tous ces ingrédients à la fourchette en ajoutant un filet d'huile d'olive. Assaisonner de sel et de poivre selon le goût et continuer à mélanger pour obtenir un mélange homogène (il restera légèrement granuleux).

Disposer les feuilles de brick sur un plan de travail. Déposer une généreuse cuillerée à soupe de préparation sur chaque feuille, puis les replier en carré. Les badigeonner légèrement de jaune d'œuf.

Enfourner à 180 °C (th. 6) et faire cuire 20 minutes.

Servir dès la sortie du four, bien chaud.

Variante : il est possible de remplacer les épinards en boîte par 320 g d'épinards congelés.

Conseil : il faut faire attention à ne pas trop garnir les bricks car la préparation risque de s'échapper en cours de cuisson.

La feta, dont l'appellation est désormais protégée au niveau européen, est exclusivement originaire de Grèce. Il s'agit d'un fromage frais de brebis, pressé et conservé dans une saumure.

bricks aux escargots de Bourgogne et au lard fumé, en aumônières

600 g de lard fumé / 2 échalotes / 36 escargots de Bourgogne / 4 cuil. à café de fond de veau déshydraté / 30 g de crème fraîche liquide / 9 feuilles de brick / Huile d'arachide / 6 brins de ciboulette / 2 jaunes d'œufs / Sel, poivre.

● ● 〉〉 6 PERS. – PRÉP. : 45 MIN – CUISS. : 35 MIN

1 ▸ Couper le lard en petits lardons. Les mettre dans une poêle et les faire dorer 3 minutes à feu moyen. Les retirer de la poêle (en y laissant le gras de cuisson) et les égoutter. Réserver.

2 ▸ Éplucher et hacher les échalotes. Rincer rapidement les escargots à l'eau froide. Mettre ces deux ingrédients dans le gras de cuisson des lardons et les faire cuire à feu moyen pendant 10 minutes environ. Assaisonner de sel et de poivre selon le goût.

3 ▸ À ce moment, ajouter le fond de veau dans la poêle, ainsi que la crème fraîche. Bien mélanger tous les ingrédients. Quand la sauce est homogène, retirer les escargots de la poêle et les réserver avec les lardons. Retirer alors la poêle du feu, en conservant la sauce.

4 ▸ Disposer les feuilles de brick sur un plan de travail. Couper 2 disques dans 3 feuilles (pour un total de 6 disques). Conserver les autres feuilles de brick (soit 6 feuilles) entières. Les enduire d'un peu d'huile d'arachide.

5 ▸ Poser un disque au centre de chaque feuille entière.

6 ▸ Disposer au centre de chaque disque un peu du mélange aux escargots et aux lardons. Rabattre les bords et les attacher avec un brin de ciboulette, de manière à former une aumônière.

7 ▸ Enfourner à 180 °C (th. 6) et faire cuire 10 minutes.

8 ▸ Faire légèrement réchauffer la sauce dans sa poêle. Y ajouter les jaunes d'œufs et mélanger.

9 ▸ À la fin de la cuisson, dresser les aumônières dans les assiettes et les entourer d'un filet de sauce. Servir aussitôt, bien chaud.

Pour détailler facilement un bloc de lard en lardons, rien de plus simple : il faut placer le morceau de telle sorte que la couenne repose sur la planche à découper. Il faut ensuite tailler des tranches de lard, en veillant à les laisser attacher à la couenne. Ensuite, il faut coucher le bloc, couenne à la verticale, et tailler d'autres tranches. Des petits bâtonnets de lard apparaissent, qu'il n'y a plus qu'à débiter en petits lardons de la taille désirée.

bricks au fromage de chèvre et à la poire, en corolles

1 poire / 1 fromage de chèvre / Quelques amandes / Quelques cerneaux de noix / 2 feuilles de brick / Huile d'olive extravierge / Sel, poivre.

● ● ● ❯ ❯ ❯   2 PERS. – PRÉP. : 10 MIN – CUISS. : 10 MIN

1   Éplucher la poire et la couper en morceaux, en éliminant le cœur et les pépins. Couper le fromage de chèvre en petits dés. Concasser grossièrement les amandes et les cerneaux de noix.

2   Disposer les feuilles de brick sur un plan de travail et les badigeonner d'huile d'olive, sans excès. Plier chaque feuille en deux, de manière à former un demi-cercle. Disposer chaque feuille repliée dans un ramequin, en repliant les bords.

3   Garnir alors chaque brick avec des morceaux de poire, puis quelques dés de fromage de chèvre. Décorer le tout avec un peu d'amandes et de noix concassées. Assaisonner de sel et de poivre selon le goût.

4   Disposer les ramequins sur la grille du four, enfourner à 180 °C (th. 6) et faire cuire 7 à 10 minutes, en surveillant la cuisson. Les bricks doivent brunir et le fromage doit être fondant.

5   Servir dès la sortie du four, bien chaud.

Pour cette préparation, un fromage de chèvre de type picodon convient fort bien.

Variantes : il est possible de remplacer le fromage de chèvre par du roquefort.

Ceux qui n'apprécient pas le sucré-salé supprimeront la poire, les amandes et les cerneaux de noix de la liste des ingrédients.

Dans tous les cas, ces bricks se dégustent accompagnés d'une petite salade verte agréablement assaisonnée.

bricks

bricks au fromage de chèvre, aux kiwis et au miel

4 kiwis / 4 feuilles de brick / 20 g de beurre fondu / 8 rondelles de fromage de chèvre / 2 cuil. à soupe de miel liquide.

● ● ● ❯❯ 4 PERS. – PRÉP. : 10 MIN – CUISS. : 10 MIN

1 · Éplucher les kiwis et les couper en rondelles.

2 · Disposer les feuilles de brick sur un plan de travail et les badigeonner de beurre fondu, sans excès. Sur chaque feuille de brick, déposer 1 kiwi en rondelles et 2 rondelles de fromage de chèvre. Plier ensuite chaque feuille de brick garnie et badigeonner à nouveau de beurre fondu.

3 · Déposer ensuite les bricks sur la plaque du four préalablement recouverte de papier sulfurisé. Enfourner à 230 °C (th. 7-8) et faire cuire 10 minutes.

4 · À la sortie du four, arroser chaque brick d'un filet de miel liquide et servir aussitôt, bien chaud.

Variante : il est possible d'intégrer quelques baies roses à la liste des ingrédients. Il suffit d'en parsemer la garniture juste avant de replier les bricks.

bricks aux trois fromages et à la tapenade d'olives

8 feuilles de brick / 50 g de gouda, en morceau / 50 g d'emmental, en morceau / 50 g de mimolette, en morceau / 4 cuil. à café de tapenade d'olives / Huile.

● ● ● ❯❯ 4 PERS. – PRÉP. : 10 MIN – CUISS. : 10 MIN

1 · Couper chaque feuille de brick en quatre. Couper les 3 morceaux de fromage en dés.

2 · Disposer 1 dé de chaque fromage et 1 cuillerée de tapenade au centre de chaque morceau de feuille de brick, puis rouler en cigare et fermer en repliant les bords vers l'intérieur.

3 · Huiler sans excès chaque brick, puis les disposer sur la plaque du four. Enfourner et faire cuire à 180 °C (th. 6) pendant 5 à 10 minutes, en surveillant la cuisson.

4 · Dès que les bricks sont croustillants, les sortir du four et servir aussitôt.

Il est possible de remplacer la tapenade d'olives par une délicieuse tapenade de tomates, voire par un petit confit d'oignon « fait maison ».

bricks au fromage de chèvre,
aux kiwis et au miel

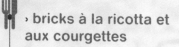

› bricks à la ricotta et
aux courgettes

bricks à la ricotta et aux courgettes

Huile d'olive extravierge / 1 oignon émincé / 2 courgettes râpées / 8 feuilles de brick / 250 g de ricotta / Sel, poivre.

● ● ❭ ❭❭ 4 PERS. – PRÉP. : 30 MIN – CUISS. : 25 MIN

1. Verser un peu d'huile d'olive dans une poêle et faire chauffer. Y faire revenir l'oignon émincé et les courgettes râpées.

2. Disposer les feuilles de brick, 2 par 2 et l'une sur l'autre, sur un plan de travail. Badigeonner légèrement les bords d'huile d'olive.

3. Verser le mélange aux courgettes dans un plat creux. Ajouter la ricotta, assaisonner, puis mélanger tous les ingrédients. Répartir cette préparation au centre des doubles feuilles de brick, puis plier en abattant les bords vers l'intérieur, de manière à former des triangles.

4. Déposer ces triangles sur la plaque du four préalablement recouverte de papier sulfurisé. Enfourner à 210 °C (th. 7) et faire cuire 20 minutes environ.

5. Servir dès la fin de la cuisson, bien chaud.

On peut aussi cuire ces bricks à la poêle, dans un peu d'huile : elles seront cependant plus imprégnées de matières grasses.

bricks à la ricotta et aux tomates séchées

250 g de ricotta / Une pincée de paprika en poudre / 1 bouquet de coriandre fraîche, ciselée / 8 tomates séchées / 4 feuilles de brick / 1 jaune d'œuf / Beurre / Sel, poivre.

● ● ❭ ❭ 4 PERS. – PRÉP. : 15 MIN – CUISS. : 15 MIN

1. Dans un bol, mélanger la ricotta, le paprika en poudre, la coriandre et les tomates séchées coupées en dés. Assaisonner.

2. Disposer 1 feuille de brick sur un plan de travail et y déposer 2 cuillerées à soupe de la préparation. Replier ensuite la feuille de brick de manière à obtenir un rectangle. Faire de même avec les autres feuilles de brick et le reste de la préparation.

3. Badigeonner ensuite les bricks avec le jaune d'œuf et les disposer sur la plaque du four préalablement beurrée. Enfourner à 210 °C (th. 7) et faire cuire 15 minutes.

4. Dès que les bricks sont dorées et croustillantes, les sortir du four et servir aussitôt.

bricks aux poireaux, aux épinards et aux pignons de pin

1 gousse d'ail / 350 g d'épinards / 1 blanc de poireau / Huile d'olive extravierge / 30 g de pignons de pin / 1 œuf + 1 jaune / 25 g de chapelure / 4 feuilles de brick / Sel, poivre.

● ● ● ❱ ❱ ❱ 4 PERS. – PRÉP. : 30 MIN – CUISS. : 35 MIN

1 Peler et hacher la gousse d'ail. Trier, laver et équeuter les épinards. Couper le poireau en morceaux.

2 Verser 1 cuillerée à soupe d'huile d'olive dans une poêle et faire chauffer. Y faire revenir les pignons de pin pendant 2 minutes, puis les réserver.

3 Ajouter alors 1 cuillerée à soupe d'huile d'olive dans la même poêle et y mettre l'ail et le poireau. Faire cuire 10 minutes à feu doux. Assaisonner de sel et de poivre selon le goût. À ce moment, ajouter les épinards et poursuivre la cuisson sur feu vif, pendant 5 minutes environ, sans cesser de remuer à la cuillère en bois. Laisser ensuite tiédir cette préparation.

4 Une fois qu'elle est tiède, y ajouter 1 œuf battu, les pignons de pin et la chapelure. Mélanger tous ces ingrédients et rectifier l'assaisonnement en sel et en poivre.

5 Disposer les feuilles de brick sur un plan de travail et les huiler légèrement. Déposer 2 cuillerées à soupe de la préparation au centre d'une feuille de brick, puis la replier de manière à obtenir un rectangle. Faire de même pour les autres feuilles de brick et le reste de la préparation. Les badigeonner alors de jaune d'œuf.

6 Disposer ensuite les bricks sur une plaque à four, enfourner à 180 °C (th. 6) et faire cuire 15 minutes.

7 Dès que les bricks sont croustillants, les sortir du four et servir aussitôt.

Pour retirer facilement les côtes des branches d'épinard, il n'est pas utile de sortir le couteau du tiroir à couverts. Il suffit de plier la feuille d'épinard en deux, comme pour fermer un portefeuille. Ensuite, la tenir fermement d'une main et, de l'autre, tirer d'un coup sec sur la côte, qui viendra toute seule.

bricks à la tomate et à la truffe

1 kg de tomates / Huile d'olive extravierge / Cumin en poudre /
2 feuilles de brick / Beurre / 1 truffe fraîchement râpée / Sel.

● ● ● 》》 4 PERS. – PRÉP. : 10 MIN – CUISS. : 2 H

1   Peler et équeuter les tomates, puis les couper en quatre. Les épépiner soigneusement.

2   Huiler légèrement une plaque à pâtisserie et y disposer les quartiers de tomate. Saupoudrer de cumin, assaisonner légèrement de sel, ajouter un filet d'huile d'olive et enfourner. Faire cuire 90 minutes à 150 °C (th. 5).

3   Disposer les feuilles de brick sur un plan de travail. Y découper des disques d'environ 12 cm de diamètre. Les beurrer sans excès et les enfourner. Les faire cuire 30 minutes à 100 °C (th. 3–4).

4   À la fin de la cuisson, disposer un disque de brick sur une assiette de service. Y répartir un peu de tomates tièdes, puis arroser d'un filet d'huile et parsemer de truffe râpée. Procéder de la même manière pour les autres disques de brick et le reste des ingrédients. Servir aussitôt.

bricks à l'œuf et à la coriandre

4 feuilles de brick / 4 œufs entiers / 1 bouquet de coriandre fraîche ciselée / Huile.

● ● ● 》》 4 PERS. – PRÉP. : 15 MIN – CUISS. : 6 MIN

1   Disposer 1 feuille de brick sur un plan de travail et casser 1 œuf en son centre. Saupoudrer de coriandre et refermer aussitôt la feuille de brick en quatre. Procéder de la même manière pour les autres feuilles de brick.

2   Verser de l'huile dans une poêle et faire chauffer. Faire ensuite frire les bricks à la poêle, 3 minutes sur chaque face.

3   Servir dès la fin de la cuisson, bien chaud.

Ces bricks ne constituent pas un véritable repas et se présentent plutôt à l'apéritif, en amuse-gueules. Ils s'accompagnent d'un peu de citron.

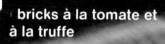

bricks à la tomate et à la truffe

bricks aux crevettes et au piment

**1 piment / 1 tomate / 400 g de grosses crevettes fraîches décorti-
quées / 4 cuil. à soupe d'huile d'olive extravierge / 1 bouquet de
coriandre fraîche ciselée / 4 feuilles de brick / Sel, poivre.**

● ● 〉〉 4 PERS. – PRÉP. : 15 MIN – CUISS. : 15 MIN

1 Hacher le piment. Peler et équeuter la tomate, puis couper la chair en
petits dés. Détailler les crevettes en petits morceaux.

2 Verser la moitié de l'huile d'olive dans une poêle et faire chauffer. Y
faire revenir les crevettes, puis ajouter le piment et la tomate. Assaisonner
de sel et de poivre selon le goût, puis poursuivre la cuisson pendant
3 minutes environ. Ajouter la coriandre.

3 Disposer 1 feuille de brick sur un plan de travail et l'huiler légèrement.
Déposer 1 cuillerée de farce aux crevettes au centre de la face huilée, à
environ 2 cm du bord. Rabattre les 2 côtés de la feuille de brick, dans le
sens de la longueur. En commençant par le côté farci, plier et replier le
rectangle de manière à former un triangle. Faire de même avec les autres
feuilles de brick et le reste de la préparation.

4 Disposer les bricks sur la plaque du four, enfourner à 180 °C (th. 6) et
faire cuire 10 minutes.

5 Dès que les bricks sont bien croustillantes, les sortir du four. Servir
aussitôt, bien chaud.

*Pour atténuer la saveur des piments, il suffit de retirer les graines
ainsi que les petites membranes qui se trouvent à l'intérieur. Les
piments se conservent bien au congélateur. Ce qui est d'autant plus
intéressant qu'ils peuvent ensuite être utilisés sans décongélation préa-
lable. Pour congeler des piments frais entiers, il convient de les glisser
dans un petit sac en plastique « spécial congélation » avant de les mettre au froid.*

bricks aux noix de Saint-Jacques et aux légumes, en aumônières

3 tomates / 1 courgette / 1 carotte / 6 feuilles de brick / Huile / 16 noix de Saint-Jacques (avec corail) / Quelques brins de persil frais / Quelques brins de ciboulette fraîche / 30 g de beurre / 30 cl de crème fraîche liquide / Sel, poivre.

● ● ● ❱ ❱ ❱ 4 PERS. – PRÉP. : 15 MIN – CUISS. : 15 MIN

1 › Laver les tomates et les couper en deux. Les épépiner, puis les couper en dés. Laver la courgette, couper les extrémités et la couper en dés également. Éplucher la carotte et la détailler en rondelles assez fines.

2 › Disposer 2 feuilles de brick sur un plan de travail et y découper 4 disques de la taille désirée pour la confection des aumônières.

3 › Disposer les feuilles de brick restantes sur un plan de travail et les huiler légèrement. Installer les disques au centre de ces feuilles, puis y disposer les noix de Saint-Jacques et 2 ou 3 brins de persil. Assaisonner de sel et de poivre selon le goût, puis refermer chaque aumônière à l'aide d'un brin de ciboulette. Les disposer sur la plaque du four préalablement huilée, enfourner à 180 °C (th. 6) et faire cuire 6 minutes environ.

4 › Mettre le beurre dans une poêle et le faire fondre. Y faire cuire les légumes 10 minutes. À ce moment, verser la crème, assaisonner de sel et de poivre selon le goût et mélanger tous les ingrédients.

5 › Disposer un lit de légumes au centre de chaque assiette de service et dresser une aumônière dessus. Servir aussitôt, bien chaud.

À l'achat, il faut toujours privilégier des coquilles Saint-Jacques qui arborent une jolie couleur ivoire et présentent un corail orange vif. Si elles sont fort blanches, cela peut signifier qu'elles ont été mises à tremper dans de l'eau afin de les alourdir. Et comme elles se vendent au poids... Avec ce procédé malhonnête, l'eau vous est donc vendue au prix des coquilles Saint-Jacques. Une seule solution : refuser de se faire arnaquer et changer immédiatement de magasin.

bricks

bricks au poisson et aux crevettes, saveur de paprika

1 kg de poisson blanc, au choix / 1 gousse d'ail / 1/2 citron confit / Huile d'arachide / 12 crevettes décortiquées / 1 bouquet de persil frais haché / 1/2 cuil. à café de paprika en poudre / 2 cuil. à soupe de jus de citron jaune fraîchement pressé / 18 feuilles de brick / Sel.

● ● 〉〉 6 PERS. – PRÉP. : 15 MIN – CUISS. : 1 H 15 MIN

1. Couper le poisson en petits morceaux. Peler et hacher la gousse d'ail.
2. Couper le citron confit en tout petits dés.
3. Verser 3 cuillerées à soupe d'huile dans une poêle. Ajouter le poisson, l'ail, le citron confit, les crevettes, le persil, le paprika et une petite pincée de sel. Faire revenir le tout.
4. Ajouter ensuite un verre d'eau, couvrir le récipient et poursuivre la cuisson, en remuant régulièrement, jusqu'à ce que l'eau soit évaporée. À ce moment, ajouter le jus de citron et retirer la poêle du feu. Laisser refroidir.
5. Disposer les feuilles de brick sur un plan de travail et les huiler légèrement. Répartir la préparation au poisson et aux crevettes au centre de chaque face huilée, puis replier chaque feuille de brick de manière à obtenir des rectangles.
6. Verser à nouveau 3 cuillerées à soupe d'huile dans une poêle et faire chauffer. Y disposer les bricks, côté plié dessous. Les cuire à feu doux pendant 3 minutes sur chaque face.
7. Dès que les bricks sont bien dorées, les retirer du feu. Servir aussitôt, bien chaud.

Si un filet de poisson se ramollit entre l'étal du poissonnier et votre cuisine, il suffit d'utiliser cette petite astuce, bien connue des pêcheurs : verser 1 l d'eau glacée dans un grand plat creux et y ajouter 15 ml de sel. Laisser ensuite tremper le filet de poisson pendant 15 minutes environ dans cette eau salée et glacée. Le tour est joué !

bricks aux fruits de mer

32 crevettes non décortiquées / 1 pied de poulpe / 1 oignon finement haché / 1 bouquet de persil frais haché / 8 feuilles de brick / 8 œufs entiers / Huile / Sel, poivre.

● ● ● ❱ ❱ ❱ 8 PERS. – PRÉP. : 30 MIN – CUISS. : 20 MIN

1 › Mettre les crevettes et le pied de poulpe dans une casserole d'eau et les faire cuire 10 minutes environ. Les transvaser ensuite dans un plat creux, ajouter l'oignon et le persil, assaisonner de sel et de poivre selon le goût et bien mélanger tous les ingrédients.

2 › Disposer les feuilles de brick sur un plan de travail. Répartir le mélange aux fruits de mer au centre de chaque feuille. Creuser un puits au milieu et casser 1 œuf dans chaque puits. Plier ensuite les bricks en triangles.

3 › Verser de l'huile dans une poêle et faire chauffer. Y faire frire les bricks, sur chaque face, jusqu'à ce que l'œuf durcisse.

4 › Servir dès la fin de la cuisson, bien chaud.

Quelques quartiers de citron accompagnent ces bricks aux saveurs marines.

bricks au saumon frais

3 pavés de saumon frais / 3 cuil. à soupe de crème fraîche / 1 bouquet de persil frais finement ciselé / Quelques feuilles d'aneth / 1/2 cuil. à café de piment doux en poudre / 4 feuilles de brick / 30 g de beurre fondu / Sel, poivre.

● ● ● ❱ ❱ 4 PERS. – PRÉP. : 20 MIN – CUISS. : 10 MIN

1 › Couper les pavés de saumon en petits dés. Les mettre ensuite dans un bol et y ajouter la crème fraîche, le persil, les feuilles d'aneth et le piment doux. Assaisonner de sel et de poivre selon le goût.

2 › Découper chaque feuille de brick en deux, puis les badigeonner de beurre fondu.

3 › Les disposer ensuite sur un plan de travail et répartir la préparation au saumon au centre de chaque demi-feuille de brick, à environ 2 cm du bord. Rabattre alors les 2 côtés de chaque demi-feuille dans le sens de la longueur. Plier et replier la bande rectangulaire sur elle-même et terminer en aplatissant très légèrement du plat de la main.

4 › Disposer enfin les feuilles de brick garnies dans un plat à four et les beurrer sans excès.

5 › Enfourner 10 minutes à 210 °C (th. 7).

6 › Servir dès la sortie du four, bien chaud.

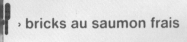

› bricks au saumon frais

bricks au saumon fumé et au chèvre frais

4 échalotes / 100 g de fromage de chèvre frais / 4 pommes de terre / 1/4 de cuil. à café de curry en poudre / 8 feuilles de brick / Huile / 4 tranches de saumon fumé / 1 bouquet de ciboulette fraîche ciselée / Sel, poivre.

● ● ● ❱❱❱ 4 PERS. – PRÉP. : 20 MIN – CUISS. : 20 MIN

1   Éplucher et émincer les échalotes. Couper le fromage de chèvre en lamelles.

2   Éplucher les pommes de terre et les couper en petits dés. Les faire ensuite cuire 15 minutes à l'eau bouillante salée. Les égoutter soigneusement, puis les saupoudrer de curry.

3   Badigeonner les feuilles de brick avec un peu d'huile. Ensuite, superposer 2 feuilles et y disposer une lamelle de fromage de chèvre. Ajouter 1 tranche de saumon fumé, un peu d'échalotes et de pommes de terre, puis parsemer de ciboulette. Assaisonner de sel et de poivre selon le goût.

4   Refermer les feuilles de brick garnies en forme de triangles. Les badigeonner à nouveau avec un peu d'huile. Enfourner 5 minutes à 180 °C (th. 6), en retournant les bricks à mi-cuisson.

5   Servir dès la sortie du four, bien chaud.

À l'achat, le saumon fumé doit impérativement être de couleur uniforme. S'il présente des taches brunes, des bordures plus foncées ou que sa surface soit parsemée de gouttelettes, le mieux est de choisir un autre morceau de poisson... ou un autre poissonnier.

bricks au thon, en cigares

1 oignon / Beurre / 1 boîte de thon au naturel / 1 cuil. à soupe de câpres / 1 bouquet de coriandre fraîche ciselée / 5 feuilles de brick / 1 blanc d'œuf / Huile / Poivre.

● ● ● ❯❯❯ 6 PERS. – PRÉP. : 30 MIN – CUISS. : 15 MIN

1 · Éplucher l'oignon, puis le couper en lamelles. Mettre une noix de beurre dans une poêle et faire chauffer. Y faire dorer l'oignon à feu doux. Égoutter le thon et l'émietter au-dessus d'un grand plat creux. Égoutter les câpres et les ajouter dans le plat, ainsi que les oignons et la coriandre. Bien mélanger les ingrédients et poivrer.

2 · Disposer les feuilles de brick sur un plan de travail et couper chaque feuille en quatre. Au milieu de chaque feuille, déposer 1 cuillerée à soupe de la préparation au thon, puis rabattre les côtés de la feuille et la rouler de manière à obtenir un cigare. Mettre un peu de blanc d'œuf sur la pointe de chaque brick afin de bien coller.

3 · Verser de l'huile dans une poêle et faire chauffer. Y faire frire les bricks pendant 10 minutes environ. Dès qu'elles sont cuites, les frotter avec du papier absorbant. Servir aussitôt, bien chaud.

Des petites bricks délicieusement parfumées, à proposer à l'apéritif. De nombreuses astuces permettent d'éviter de pleurer en épluchant un oignon. La principale d'entre elles est d'utiliser un couteau bien aiguisé. En effet, plus la coupe de l'oignon est franche et moins l'oignon rend de jus. Et c'est celui-ci qui fait pleurer. Quelques autres « trucs » : asperger la planche à découper avec quelques gouttes de vinaigre de malt distillé, mordiller une allumette, côté phosphoré dirigé vers l'oignon, ou encore allumer une bougie près de l'endroit où est découpé l'oignon (la bougie va brûler les vapeurs sulfureuses).

bricks aux foies de volaille et aux champignons, en aumônières

400 g de foies de volaille / 800 g de champignons des bois (cèpes et girolles mélangés) / 2 gousses d'ail / 2 échalotes / 50 g de beurre / 2 cuil. à soupe de cognac / 1 bouquet de persil frais haché / 1 cuil. à café de moutarde / 2 jaunes d'œufs / 3 cuil. à soupe d'huile de noix / 1 citron jaune fraîchement pressé / 9 feuilles de brick / 6 brins de ciboulette fraîche / Sel, poivre.

● ● ● ❱❱❱ 6 PERS. – PRÉP. : 50 MIN – CUISS. : 20 MIN

1. Nettoyer les foies de volaille avant de les passer rapidement sous l'eau froide. Les couper ensuite en deux et enlever le sang qui est à l'intérieur. Laver les champignons et, s'ils sont trop gros, les couper en deux. Peler et hacher les gousses d'ail. Éplucher et hacher les échalotes.

2. Mettre la moitié du beurre dans une poêle et faire chauffer. Y faire revenir les foies de volaille sur feu moyen, pendant 3 minutes environ, puis verser le cognac et flamber. Ajouter alors les champignons, l'ail, les échalotes et le persil. Faire cuire le tout une dizaine de minutes à feu doux, jusqu'à complète évaporation de l'eau.

3. Préparer la sauce d'accompagnement : dans un bol, mélanger la moutarde, les jaunes d'œufs, l'huile de noix et le jus de citron. Assaisonner de sel et de poivre selon le goût. Mélanger et réserver.

4. Disposer les feuilles de brick sur un plan de travail. Couper 2 ronds dans 3 feuilles (pour un total de 6 ronds). Conserver les autres feuilles de brick (soit 6 feuilles) entières. Les enduire d'un peu de beurre fondu.

5. Poser un rond au centre de chaque feuille entière.

6. Disposer au centre de chaque rond un peu de préparation aux champignons. Rabattre les bords et les attacher avec un brin de ciboulette ébouillanté, de manière à former une aumônière.

7. Enfourner à 180 °C (th. 6) et faire cuire 3 minutes.

8. À la fin de la cuisson, dresser les aumônières dans les assiettes de service et les entourer d'un léger filet de sauce à la moutarde. Servir aussitôt, bien chaud, avec le reste de sauce proposé en saucière.

Rien ne vaut les champignons frais, bien entendu. Mais il arrive que les aléas du marché fassent que l'on doive utiliser des conserves. Les cèpes en boîtes doivent impérativement être trempés dans de l'eau très chaude (mais pas bouillante) avant d'être utilisés en cuisine. Cela les débarrassera de leur enduit gluant, peu appétissant. Il ne reste plus alors qu'à les égoutter soigneusement sur du papier absorbant.

bricks au foie gras de canard et à la confiture de figues

3 pommes de terre / 120 g de foie gras de canard / 4 feuilles de brick / 8 cuil. à café de confiture de figues / Sel.

● ● ● ❭❭❭ 4 PERS. – PRÉP. : 15 MIN – CUISS. : 30 MIN

1 › Éplucher les pommes de terre, les couper en rondelles et les faire cuire à la vapeur, pendant 15 minutes environ. Les égoutter, les saler et les laisser refroidir.

2 › Couper le bloc de foie gras en 4 tranches égales. Couper ensuite chaque tranche en deux.

3 › Disposer les feuilles de brick sur un plan de travail. Au centre de chaque feuille, déposer quelques rondelles de pomme de terre et une demi-tranche de foie gras ; ajouter 1 cuillerée à café de confiture de figues et terminer le montage par une autre demi-tranche de foie gras et 1 autre cuillerée de confiture.

4 › Refermer chaque feuille de brick en aumônière et nouer à l'aide d'une ficelle alimentaire.

5 › Déposer ces aumônières sur la plaque du four préalablement recouverte de papier sulfurisé. Enfourner à 190 °C (th. 6-7) et faire cuire 15 minutes.

6 › Servir dès la fin de la cuisson, bien chaud.

Variante : il est possible de remplacer la confiture de figues par des figues fraîches.

En accompagnement, prévoir une salade verte assaisonnée au vinaigre balsamique.

Conseil : pour transvaser les aumônières de la plaque de cuisson aux assiettes de service, le mieux est d'utiliser une pelle à tarte.

bricks au foie gras de canard et aux poires, à la façon des nems

**600 g de foie de canard cru / 4 poires / 6 feuilles de brick /
1 blanc d'œuf / 20 g de beurre / Huile d'arachide / Sel, poivre.**

● ● ● ❭ ❭ 6 PERS. – PRÉP. : 15 MIN – CUISS. : 2 MIN

1 Dénerver le foie gras, puis le couper en 12 portions égales. Réserver au frais.

2 Éplucher les poires, puis couper chaque fruit en 8 lamelles (pour un total de 32 lamelles), en laissant de côté le cœur et les pépins.

3 Disposer les bricks sur un plan de travail et les couper en deux. Disposer les demi-feuilles dans le sens de la hauteur, puis déposer une portion de foie gras dans le tiers inférieur de chaque demi-feuille. Ajouter une lamelle de poire, puis assaisonner de sel et de poivre selon le goût. Rabattre les côtés de chaque demi-feuille garnie et enrouler de manière à former des nems. Les coller au blanc d'œuf.

4 Mettre le beurre dans une poêle et faire chauffer. À feu doux, faire dorer les 26 lamelles de poire restantes. À la fin de leur cuisson, les poser délicatement sur une assiette de service.

5 Verser un peu d'huile d'arachide dans une autre poêle et faire chauffer. Y faire frire les nems et les faire dorer pendant 1 minute sur chaque face. À la fin de la cuisson, les égoutter sur du papier absorbant et les disposer sur le lit de lamelles de poire.

6 Servir aussitôt, bien chaud.

Pour cette superbe préparation digne d'une table de fête, les poires Conférence se recommandent d'elles-mêmes. Attention : la poire est un ingrédient très fragile ! Il convient donc de surveiller attentivement la cuisson pour conserver des belles lamelles.

bricks au foie gras de canard
et à la confiture de figues p. 38

bricks aux champignons des bois et au canard confit, parfum d'orange

2 échalotes / 2 cuisses de canard confites / 350 g de champignons des bois / Huile / 1 bouquet de persil frais ciselé / 1/2 orange non traitée, de qualité biologique certifiée / 8 feuilles de brick / Sel, poivre.

● ● ● 〉〉〉 4 PERS. – PRÉP. : 20 MIN – CUISS. : 20 MIN

1 · Éplucher et émincer les échalotes. Retirer la peau et les os des cuisses de canard, puis effilocher leur chair. Laver et émincer les champignons.

2 · Verser 1 cuillerée à soupe d'huile dans une poêle et faire chauffer. Y faire revenir les échalotes, puis ajouter les champignons. Assaisonner de sel et de poivre selon le goût, puis poursuivre la cuisson pendant 3 minutes environ.

3 · Zester et presser la demi-orange. Râper le zeste.

4 · Mélanger le canard, la préparation aux champignons, le persil, le zeste râpé et le jus de la demi-orange.

5 · Disposer les feuilles de brick sur un plan de travail et les badigeonner légèrement d'huile. Répartir la farce au centre des feuilles, puis les replier pour former des rectangles. Les disposer ensuite sur la plaque du four et enfourner à 210 °C (th. 7). Faire cuire 15 minutes.

6 · Servir dès la sortie du four, bien chaud.

Une fois engraissé, le canard fournit les magrets et le foie gras, mais également des portions de confit que l'on peut préparer soi-même. La recette est un peu longue (il faut compter 12 heures de salage et près de 3 heures pour la préparation et la cuisson), mais le résultat justifie le temps passé aux fourneaux. Rissolées à la poêle, les portions de confit se servent bien croustillantes, avec des pommes sarladaises, des cèpes, des lentilles ou des haricots blancs. Réchauffées, elles enrichissent cassoulets et soupes. La graisse qui les enrobe pourra, quant à elle, servir de corps gras de cuisson.

bricks au poulet, aux épinards et au fromage de chèvre

1 escalope de poulet d'environ 200 g / Beurre / 1 tranche de bûche de chèvre / 1 poignée d'épinards / Quelques feuilles d'oseille / 1 bouquet de ciboulette fraîche ciselée / 4 feuilles de brick / Huile.

● ● 〉〉 2 PERS. – PRÉP. : 10 MIN – CUISS. : 15 MIN

1   Émincer l'escalope de poulet et la faire revenir, au beurre, dans une poêle. Émietter grossièrement le fromage de chèvre.

2   Mettre les épinards et l'oseille dans une casserole et les faire fondre pendant quelques minutes. Ajouter la ciboulette et le fromage de chèvre.

3   Disposer les feuilles de brick sur un plan de travail. Au centre de chaque feuille, répartir un peu de poulet émincé, puis de la préparation aux épinards. Refermer les feuilles en les maintenant avec des petits cure-dents.

4   Verser de l'huile dans une poêle et faire chauffer. Y faire cuire les bricks pendant 10 minutes environ.

5   Servir dès la fin de la cuisson, bien chaud.

Variante : il est possible d'enrichir cette préparation en ajoutant quelques lamelles de comté dans chaque brick, juste avant de les refermer.

L'oseille est utilisée en médecine douce et naturelle depuis l'Antiquité, mais elle ne fait son apparition en cuisine que dans le courant du Moyen Âge. Son nom latin, rumex, peut être traduit par « fer de lance » : un nom qui rappelle la forme de ses feuilles. Hachées, les feuilles d'oseille agrémentent salades, soupes, purées ou sauces. Blanchies et croquantes, elles peuvent accompagner les poissons panés.

bricks à la viande de bœuf hachée et au piment

1 oignon / 350 g de viande de bœuf hachée / 1/2 cuil. à café de cannelle en poudre / 1/2 cuil. à café de cumin moulu / 1 cuil. à café de piment doux / Une pincée de piment fort / 1 bouquet de persil frais ciselé / 1 bouquet de coriandre fraîche ciselée / Quelques feuilles de menthe fraîche hachées / 4 œufs entiers / 80 g de beurre / 6 feuilles de brick / Huile / Sel, poivre.

● ● ● ❯ ❯ 6 PERS. – PRÉP. : 30 MIN – CUISS. : 30 MIN
REPOS : 1 H

1 · Éplucher et hacher l'oignon.

2 · Dans un plat creux, mélanger la viande, l'oignon, la cannelle, le cumin, les deux piments, le persil, la coriandre et la menthe. Assaisonner de sel et de poivre selon le goût. Pétrir soigneusement la préparation, puis la laisser reposer 1 heure.

3 · Battre les œufs entiers et réserver.

4 · Mettre le beurre dans une poêle et faire chauffer. Y ajouter le mélange épicé à la viande et faire cuire, sans cesser de remuer. Dès que le jus est évaporé, ajouter peu à peu les œufs battus, toujours en remuant. Retirer alors la préparation du feu.

5 · Huiler sans excès une face de chaque feuille de brick, puis y répartir la farce à la viande, au centre. Replier la feuille de brick garnie en rectangle.

6 · Verser 3 à 4 cuillerées à soupe d'huile dans une poêle et faire chauffer. Y disposer les bricks, côté plié dessous, et les poêler sur feu doux pendant 2 à 3 minutes sur chaque face.

7 · Servir dès la fin de la cuisson, bien chaud.

Le fait de disposer les bricks dans la poêle, côté plié dessous, permettra de bien souder la pâte en cours de cuisson.

Il faut toujours privilégier une viande de bœuf fraîchement hachée. Si on hache sa viande soi-même, au mixeur, procéder par petites quantités à la fois : le résultat final sera plus uniforme que si l'on traite toute la quantité de viande en une seule fois.

bricks aux carottes et aux oignons, saveur de curry

2 gousses d'ail / 6 oignons / 6 carottes / 1 bouquet de coriandre fraîche / 3 cuil. à soupe d'huile d'olive extravierge / 1 cuil. à soupe de miel liquide / 1 cuil. à soupe de curry en poudre / 9 feuilles de brick / 1 blanc d'œuf / Huile / Sel, poivre.

● ● ● ❯❯❯ 6 PERS. – PRÉP. : 30 MIN – CUISS. : 25 MIN

1 Peler les gousses d'ail. Éplucher les oignons et les carottes. Mettre ces ingrédients dans le bol d'un mixeur et ajouter la coriandre. Mixer le tout, puis mettre le mélange obtenu dans une poêle contenant déjà l'huile d'olive. Faire cuire le tout pendant 10 minutes environ, à feu moyen. À ce moment, ajouter le miel liquide et la poudre de curry. Assaisonner de sel et de poivre selon le goût, puis mélanger tous les ingrédients. Poursuivre la cuisson à feu doux pendant encore 10 minutes.

2 Disposer les feuilles de brick sur un plan de travail, et les couper en deux.

3 Disposer une première demi-feuille dans le sens de la hauteur et déposer 1 cuillerée à soupe de préparation dans la partie inférieure. Rabattre les bords et plier de manière à obtenir un triangle. Coller avec un peu de blanc d'œuf. Procéder de la même manière avec les autres feuilles de brick et le reste de la préparation.

4 Faire chauffer l'huile et y faire frire les bricks. À la fin de la cuisson, les égoutter rapidement sur du papier absorbant.

5 Servir aussitôt, bien chaud.

Peler de l'ail, surtout en grande quantité, n'est pas un travail très agréable. Pour éviter que les épluchures d'ail collent aux doigts, il suffit d'ébouillanter les gousses (c'est-à-dire les faire blanchir 2 minutes dans de l'eau bouillante) avant de les passer rapidement sous un filet d'eau froide. Elles seront ainsi beaucoup plus faciles à peler et les épluchures ne colleront plus aux doigts.
Ceux qui ont des difficultés à digérer l'ail n'oublieront jamais d'extraire le germe de la gousse. Rien de plus simple : celui-ci se retire facilement à l'aide de la pointe d'un couteau, après avoir coupé la gousse en deux dans sa longueur.

bricks aux carottes et au soja, parfumés au cumin et à la coriandre, en cigares

200 g de soja frais / 3 carottes / 1 bouquet de coriandre fraîche ciselée / 1 cuil. à café de cumin moulu / 12 feuilles de brick / 1 blanc d'œuf / Huile / Sel, poivre.

● ● ● 〉〉 24 PIÈCES – PRÉP. : 25 MIN – CUISS. : 5 MIN

1 Laver soigneusement le soja, puis le couper en deux ou en trois. Éplucher et râper les carottes.

2 Mettre le soja et les carottes râpées dans un grand plat creux. Y ajouter la coriandre et le cumin, puis assaisonner de sel et de poivre selon le goût. Bien mélanger tous ces ingrédients.

3 Disposer les feuilles de brick sur un plan de travail. Les couper en deux.

4 Déposer un peu de préparation au soja et aux carottes dans la partie inférieure d'une demi-feuille, puis rabattre les côtés et rouler de manière à former un cigare. Coller avec le blanc d'œuf. Procéder de la même manière avec les autres feuilles de brick et le reste de la préparation.

5 Faire chauffer l'huile et y faire frire les bricks. À la fin de leur cuisson, les égoutter rapidement sur du papier absorbant.

6 Servir aussitôt, bien chaud.

Pour d'évidentes raisons sanitaires et d'éthique, il faut toujours refuser d'acheter du soja OGM transgénique. Et comme les normes européennes favorisent les étiquetages douteux, n'indiquant pas la présence d'OGM, il est conseillé de toujours privilégier un soja de qualité biologique certifiée.
En accompagnement, un petit bol de sauce de soja foncée est parfait.

bricks à la mozzarella et aux tomates confites, en tartelettes

5 gousses d'ail / 3 kg de tomates / 5 cuil. à soupe d'huile d'olive extravierge / 6 feuilles de brick / Huile d'arachide / 250 g de mozzarella / 18 feuilles de basilic frais / Sel, poivre.

● ● ● ❭ ❭ ❭ 6 PERS. – PRÉP. : 30 MIN – CUISS. : 1 H 10 MIN

1 · Peler et émincer les gousses d'ail. Plonger les tomates dans de l'eau bouillante pendant 2 minutes, puis les passer rapidement sous l'eau froide. Les peler, les couper en quatre et les épépiner.

2 · Disposer les quartiers de tomate sur la plaque du four recouverte de papier sulfurisé. Les arroser avec la moitié de l'huile d'olive, assaisonner de sel et de poivre selon le goût, puis ajouter l'ail. Enfourner à 120 °C (th. 4) et faire confire 1 heure, en retournant les quartiers de tomate à mi-cuisson.

3 · Disposer les feuilles de brick sur un plan de travail. Dans chaque feuille, découper 3 disques et les badigeonner légèrement d'huile d'arachide sur les 2 faces.

4 · Disposer 3 disques l'un sur l'autre : ils constituent un fond de tarte. Déposer dessus un peu de tomates, puis des tranches de mozzarella et un peu de basilic. Ajouter encore un peu de tomates. Procéder de la même manière avec les autres disques de pâte et le reste des ingrédients.

5 · Enfin, arroser tous les bricks avec le reste d'huile d'olive.

6 · Enfourner à 180 °C (th. 6) et faire cuire 8 minutes environ.

7 · Servir dès la sortie du four, bien chaud.

Traditionnellement, la véritable mozzarella est fabriquée à partir de lait de bufflonne. C'est bien entendu la meilleure et, malheureusement, la plus difficile à trouver dans nos commerces. Elle possède un goût nettement plus marqué, plus fort que la flor di latte, qui, elle, est confectionnée au lait de vache. C'est cette dernière que l'on trouve la plupart du temps dans nos commerces, y compris dans les épiceries italiennes.

bricks aux noix de Saint-Jacques, façon indienne, en aumônières

15 tomates cerise / 1 oignon / 10 g de beurre / 9 feuilles de brick / Huile d'arachide / 2 cuil. à soupe de graines de sésame / 30 noix de Saint-Jacques / 6 brins de ciboulette fraîche / 50 cl de crème fraîche liquide / 2 citrons jaunes fraîchement pressés / 2 cuil. à café de curry en poudre / Sel, poivre.

● ● ● ❭❭❭ 6 PERS. – PRÉP. : 30 MIN – CUISS. : 20 MIN

1 · Laver les tomates et les couper en deux. Éplucher et émincer l'oignon. Mettre le beurre dans une poêle et faire chauffer. Y faire revenir l'oignon pendant 4 à 5 minutes, puis retirer du feu.

2 · Disposer les feuilles de brick sur un plan de travail. Couper 2 disques dans 3 des feuilles (pour un total de 6 disques de pâte) et conserver les 6 autres feuilles entières. Les badigeonner légèrement d'huile d'arachide, sur les 2 faces.

3 · Disposer un disque de pâte sur une feuille de brick. Y déposer une petite couche d'oignon, puis 5 demi-tomates. Saupoudrer d'un peu de graines de sésame et ajouter enfin 5 noix de Saint-Jacques par-dessus. Remonter alors les bords de la feuille de brick de manière à former une aumônière et fermer celle-ci à l'aide d'un brin de ciboulette. Procéder de la même manière avec les autres feuilles de brick et tous les ingrédients. Déposer toutes les aumônières sur la plaque du four et enfourner à 180 °C (th. 6). Faire cuire environ 10 minutes, en surveillant la cuisson.

4 · Préparer une sauce d'accompagnement : verser la crème fraîche dans un poêlon et y ajouter le jus des 2 citrons et le curry en poudre. Assaisonner de sel et de poivre selon le goût. Faire épaissir la sauce à feu doux.

5 · Dès la fin de leur cuisson, sortir les bricks du four et les disposer sur des assiettes de service. Les entourer d'un fin filet de sauce. Servir aussitôt, bien chaud, avec le reste de sauce proposé en saucière.

Conseil : il faut bien surveiller la cuisson des aumônières. À la fin de leur cuisson, elles doivent être joliment dorées, mais conserver toutefois une couleur claire.

Variante : après avoir dressé les aumônières et le filet de sauce sur les assiettes de service, il est possible de saupoudrer le tout avec un peu de graines de sésame, sans excès, pour la beauté du décor.

bricks aux fruits de mer et aux vermicelles chinois, en corolles

50 g de vermicelles chinois / 1 gousse d'ail / 4 filets de cabillaud / 25 g de beurre / 300 g de petites crevettes décortiquées / 1/2 cuil. à café de gingembre moulu / Quelques pistils de safran / 1 petit bouquet de persil frais haché / 8 feuilles de brick / Sel, poivre.

● ● ● ❯❯❯ 4 PERS. – PRÉP. : 25 MIN – CUISS. : 20 MIN

1 Porter une casserole d'eau à ébullition et y plonger les vermicelles. Les laisser tremper 4 minutes hors du feu avant de les égoutter et de les couper grossièrement. Peler et hacher la gousse d'ail. Détailler les filets de cabillaud en cubes.

2 Mettre le beurre dans une poêle et y faire cuire le cabillaud et les crevettes. Ajouter le gingembre et les pistils de safran, puis l'ail, le persil et les vermicelles. Saler et poivrer selon le goût. Bien mélanger tous les ingrédients pendant 3 minutes de cuisson.

3 Disposer les feuilles de brick sur un plan de travail. Insérer 2 feuilles de brick dans un ramequin individuel et y transvaser un peu de garniture. Procéder de la même manière avec les autres feuilles de brick et le reste de la préparation.

4 Enfourner à 200 °C (th. 6-7) et faire cuire 15 minutes environ.

5 À la fin de la cuisson, sortir les ramequins du four. Retirer les bricks et les disposer sur des assiettes de service. Servir aussitôt, bien chaud.

Variante : il est possible de remplacer le cabillaud par la même quantité de saumon frais.

En accompagnement, prévoir une salade verte agréablement assaisonnée.

À l'achat, le cabillaud doit présenter une peau dure et brillante, de même qu'une chair blanche et ferme.

Les vermicelles chinois se trouvent aisément dans les épiceries asiatiques, ainsi que dans la plupart des rayons de produits exotiques des grandes surfaces.

› bricks aux noix de Saint-Jacques, façon indienn‹
en aumônières p. 54

bricks aux merguez, comme au Maghreb, en cigares

6 merguez de mouton / 4 feuilles de brick / 1 blanc d'œuf / Huile.

● ● ● 〉〉〉 6 PERS. – PRÉP. : 15 MIN – CUISS. : 5 MIN

1 Retirer la membrane des merguez et couper leur chair en 4 portions égales.

2 Disposer les feuilles de brick sur un plan de travail, puis couper chaque feuille en 6 morceaux. Déposer un morceau de merguez sur l'un des morceaux de pâte, vers le bas. Rabattre ensuite les côtés et rouler de manière à former un cigare. Coller avec un peu de blanc d'œuf. Procéder de la même manière avec le reste des morceaux de pâte et de merguez. Faire chauffer de l'huile et y faire frire les bricks. À la fin de la cuisson, les égoutter sur du papier absorbant.

3 Servir aussitôt, bien chaud.

Traditionnellement, les véritables merguez « comme là-bas » sont faites avec de la viande de mouton. Dans les commerces européens, elles sont plutôt réalisées à base de viande de bœuf, voire, dans certains cas, d'un mélange de mouton et de bœuf hachés. Leur saveur n'a évidemment rien à voir avec celle des authentiques merguez, qu'il est toutefois possible de trouver dans les boucheries maghrébines.

bricks

bricks à la viande de bœuf et aux pommes de terre, à la marocaine

2 gousses d'ail / 250 g de pommes de terre / 250 g de viande de bœuf fraîchement hachée / 3 œufs entiers / 1 petit bouquet de persil frais haché / 10 feuilles de brick / Huile / Sel, poivre.

● ● ● 〉〉〉 6 PERS. – PRÉP. : 20 MIN – CUISS. : 7 MIN

1 Peler et hacher les gousses d'ail. Éplucher les pommes de terre et les faire cuire à l'eau bouillante salée avant de les écraser en purée. Les mettre dans un grand plat creux. Y ajouter la viande hachée crue et les œufs entiers. Mélanger, puis ajouter l'ail et le persil. Assaisonner de sel et de poivre selon le goût, puis mélanger à nouveau.

2 Façonner cette préparation en petits boudins.

3 Disposer les feuilles de brick sur un plan de travail. Disposer un boudin de préparation au bord de chaque feuille de brick, puis rabattre les 2 côtés de manière à obtenir des rectangles.

4 Verser de l'huile dans une poêle et faire chauffer. Y faire cuire les bricks à feu moyen pendant quelques minutes, en les retournant plusieurs fois en cours de cuisson.

5 À la fin de la cuisson, les égoutter rapidement sur du papier absorbant.

6 Servir aussitôt, bien chaud.

Variante : pourquoi ne pas ajouter un peu de cumin à la préparation ? Il est aussi possible de cuire les bricks au four préchauffé à 240 °C (th. 8) pendant 15 minutes environ. Ne pas oublier de retourner les bricks à mi-cuisson.

bricks à la viande de bœuf, parfum de cumin, en cigares

1 gousse d'ail / 1 oignon / 2 cuil. à soupe d'huile d'olive extra-vierge / 180 g de viande de bœuf fraîchement hachée /1 bouquet de coriandre fraîche ciselée / 1/2 cuil. à café de cumin en poudre / 1 œuf battu / 6 feuilles de brick / Huile / Sel, poivre.

● ● ● ❱❱❱ 4 PERS. – PRÉP. : 15 MIN – CUISS. : 20 MIN

1   Peler et hacher la gousse d'ail. Éplucher et émincer l'oignon.

2   Verser l'huile d'olive dans une poêle et faire chauffer. Y faire revenir les oignons, puis les réserver. Dans la même poêle, faire dorer la viande de bœuf hachée, puis remettre les oignons. Ajouter l'ail, la coriandre, le cumin. Assaisonner de sel et de poivre selon le goût. Bien mélanger tous les ingrédients.

3   Retirer la poêle du feu et ajouter l'œuf battu. Mélanger une nouvelle fois.

4   Disposer les feuilles de brick sur un plan de travail, puis les couper en deux. Replier chaque moitié de feuille de manière à obtenir un rectangle. Huiler légèrement chaque rectangle. Déposer alors 1 cuillerée à soupe de farce à l'extrémité de chaque rectangle. Ensuite, les rouler en rentrant les bords au fur et à mesure.

5   Faire chauffer de l'huile de friture et y plonger les bricks pendant 5 minutes environ, jusqu'à ce qu'elles soient bien dorées.

6   À la fin de la cuisson, les égoutter rapidement sur du papier absorbant. Servir aussitôt, bien chaud.

On n'utilise pas toujours fréquemment du cumin et il se peut qu'il vieillisse dans l'armoire à épices. Pour lui offrir une seconde jeunesse et lui permettre ainsi de retrouver tout son parfum, il suffit de l'étaler sur la plaque du four et de le torréfier quelques minutes à 240 °C (th. 8).

bricks à la viande de veau et aux abricots secs, à la manière orientale

500 g de viande de veau / 1 citron confit / 1 oignon / 4 abricots secs / 5 cl d'huile d'olive extravierge / 1 cuil. à café de cinq-épices / 4 ou 5 graines de cardamome / 6 feuilles de brick / 20 g de beurre.

● ● ● 〉 〉 〉 4 PERS. – PRÉP. : 15 MIN – CUISS. : 50 MIN

1 · Couper la viande de veau en cubes. Détailler le citron confit en petits dés. Éplucher et émincer l'oignon. Couper les abricots secs en quartiers. Verser l'huile d'olive dans une poêle et faire chauffer. Y faire revenir la viande de veau. Lorsqu'elle est dorée, ajouter l'oignon, le citron confit, les quartiers d'abricot sec, le cinq-épices et les graines de cardamome. Laisser mijoter le tout pendant 25 minutes environ.

2 · Disposer les feuilles de brick sur un plan de travail. Les beurrer légèrement. Prendre 2 feuilles et les couper en deux. Déposer ensuite une demi-feuille de brick sur une feuille entière, puis y déposer une portion de garniture. Replier et refermer de manière à former un chausson. Procéder de la même manière avec les autres feuilles de brick et le reste de garniture. Disposer ensuite les chaussons garnis sur la plaque du four recouverte de papier sulfurisé. Enfourner à 200 °C (th. 6-7) et faire cuire environ 20 minutes.

3 · Servir dès la fin de la cuisson, bien chaud.

Variantes : il est possible d'ajouter quelques raisins secs à la liste des ingrédients. Il est également possible de remplacer la viande de veau par la même quantité de dinde.

Le citron confit est un ingrédient surprenant. Alors qu'il est très prisé dans les cuisines méditerranéennes et moyen-orientales, il semble avoir bien du mal à s'acclimater aux gastronomies des autres régions du monde. Pourtant, il apporte toujours une touche gustative originale et ensoleillée. Le citron confit se trouve dans la plupart des épiceries maghrébines bien achalandées.

bricks à l'agneau haché et à la harissa

3 gousses d'ail / 2 oignons / 3 cuil. à soupe d'huile d'olive extra-vierge / 500 g de viande d'agneau fraîchement hachée / 1 bouquet de coriandre fraîche ciselée / 1 bouquet de persil frais haché / 1 cuil. à café de harissa / 12 feuilles de brick / Huile / Sel, poivre.

●● ❭❭ 24 PIÈCES – PRÉP. : 25 MIN – CUISS. : 25 MIN

1   Peler et hacher les gousses d'ail. Éplucher et émincer les oignons.

2   Verser l'huile d'olive dans une grande poêle et faire chauffer. Y faire blondir l'ail et l'oignon, sur feu moyen, pendant 5 minutes environ. À ce moment, ajouter l'agneau haché et un verre d'eau. Laisser mijoter le tout à feu doux pendant 15 minutes environ, jusqu'à ce que toute l'eau soit évaporée.

3   Environ 2 minutes avant la fin de la cuisson, ajouter dans la préparation la coriandre, le persil et la harissa. Assaisonner de sel et de poivre selon le goût, puis bien mélanger tous les ingrédients jusqu'à la fin de la cuisson.

4   Disposer les feuilles de brick sur un plan de travail. Les couper en deux. Disposer une première demi-feuille dans le sens de la hauteur et déposer 1 cuillerée à soupe de farce à la viande dans la partie basse de cette feuille. Rabattre les côtés et plier de manière à former un triangle. Procéder de la même manière avec les autres feuilles de brick et le reste de la préparation.

5   Faire chauffer de l'huile de friture et y plonger les bricks jusqu'à ce qu'elles soient bien dorées.

6   À la fin de la cuisson, les égoutter rapidement sur du papier absorbant. Servir aussitôt, bien chaud.

Emblématique de la cuisine nord-africaine, la harissa est riche en couleurs et haute en saveurs. Elle est désormais disponible dans la plupart des commerces, mais il est aussi possible de la préparer « maison ». En voici la recette... Dans un mortier, piler ensemble 1 cuillerée à café de graines de carvi et 1 cuillerée à soupe de graines de coriandre. Les verser dans une poêle, ajouter 3 cuillerées à soupe d'huile d'olive, 1 poivron rouge coupé en petits dés et 1 oignon rouge haché. Faire chauffer 5 minutes à feu doux. Verser ensuite le mélange dans le bol d'un robot. Ajouter 3 gousses d'ail hachées, 1 piment rouge haché, 4 cuillerées à soupe de coriandre fraîche ciselée, 1/2 cuillerée à café de sel au céleri et 150 g de purée de tomates. Mixer jusqu'à obtention d'une consistance lisse et conserver la préparation au réfrigérateur, sous un film de plastique alimentaire (4 à 5 jours au maximum).

bricks à l'agneau haché et à la purée de petits pois épicée

4 cuil. à soupe de noix de cajou / 1 cuil. à soupe d'huile d'olive extravierge / 2 gousses d'ail hachées / 2 oignons émincés / 1 cuil. à café de gingembre frais râpé / 500 g de viande d'agneau fraîchement hachée / 1 cuil. à café de curcuma moulu / 1/4 de cuil. à café de garam masala / 8 feuilles de brick.
Pour la purée de petits pois : 2 oignons / 500 g de petits pois sur-gelés / 3 tomates pelées / 2 cuil. à café de cumin en poudre / 1,5 cuil. à café de garam masala / 1/5 de cuil. à café de coriandre moulue / Sel.

● ● ● ❭ ❭ ❭   4 PERS. – PRÉP. : 20 MIN – CUISS. : 35 MIN

1   Hacher grossièrement les noix de cajou. Verser l'huile d'olive dans une poêle et faire chauffer. Y faire revenir l'ail haché, l'oignon émincé et le gingembre. Puis ajouter la viande d'agneau, les noix de cajou, le curcuma et le garam masala.

2   Éplucher et hacher les oignons. Faire cuire les petits pois dans de l'eau bouillante salée pendant 15 minutes, puis les égoutter soigneuse-ment et les écraser à la fourchette. Mettre les oignons dans une poêle et les faire revenir avec les tomates pelées, le cumin, le garam masala et la coriandre. Assaisonner de sel selon le goût et bien mélanger. Ajouter la préparation à la viande et mélanger les deux préparations.

3   Disposer les feuilles de brick sur un plan de travail. Déposer un peu de préparation sur chaque feuille, à environ 2 cm du bord inférieur. Rabattre la base de chaque feuille sur la farce, puis les côtés. Ensuite, rouler bien serré, de manière à former des cigares.

4   Déposer les bricks sur la plaque du four couverte de papier sulfurisé et enfourner à 200 °C (th. 6-7). Faire cuire 15 minutes.

5   Servir dès la sortie du four, bien chaud.

Le garam masala est un subtil mélange d'épices que l'on trouve dans les épiceries indiennes. Il existe de nombreuses versions de la recette. En Inde, sa composition diffère d'une région à l'autre, mais aussi d'une famille à l'autre, en fonction des goûts de chacun. Traditionnellement, on y retrouve en tout cas les ingrédients suivants : graines de cumin et de coriandre, grains de poivre noir, cardamome verte, cannelle et clous de girofle. Le mot « garam » peut être traduit par l'adjectif « brûlant ». Quelle que soit sa composition, ce mélange se conserve 5 à 6 mois dans une boîte hermétiquement fermée.

bricks

bricks à l'agneau haché et aux raisins secs

30 g de raisins secs / 1 gousse d'ail / 1 oignon / Huile d'olive extravierge / 400 g de viande d'agneau fraîchement hachée / 1/2 cuil. à café de cannelle moulue / 1 cuil. à soupe de miel liquide / Quelques feuilles de menthe fraîche ciselée / 4 feuilles de brick / Sel, poivre.

● ● ● 〉〉〉 4 PERS. – PRÉP. : 15 MIN – CUISS. : 20 MIN
TREMPAGE DES RAISINS : 15 MIN

1 · Mettre les raisins secs à tremper dans un bol d'eau froide pendant 15 minutes environ.

2 · Peler et presser la gousse d'ail. Éplucher et hacher l'oignon.

3 · Verser un petit filet d'huile d'olive dans une poêle et faire chauffer. Y faire revenir les oignons et l'ail, puis ajouter 1 cuillerée à soupe d'huile d'olive et l'agneau haché. Bien mélanger.

4 · À ce moment, ajouter la cannelle, le miel et la menthe. Assaisonner de sel et de poivre selon le goût, puis poursuivre la cuisson pendant environ 3 minutes, sans cesser de remuer. Hors du feu, ajouter les raisins secs préalablement égouttés.

5 · Disposer les feuilles de brick sur un plan de travail et les huiler légèrement. Y répartir la farce à la viande, puis plier chaque feuille garnie de manière à obtenir des rectangles. Les déposer sur la plaque du four préalablement huilée.

6 · Enfourner à 180 °C (th. 6) et faire cuire 15 minutes environ.

7 · Servir dès la fin de la cuisson, bien chaud.

Cela fait plusieurs siècles que la cannelle de Ceylan (Sri Lanka) est mondialement réputée. Son arôme chaleureux est apprécié aussi bien pour la confection de délicieux gâteaux et de succulentes pâtisseries que pour agrémenter certaines recettes exotiques où dominent les saveurs douces amères. Elle est aussi utilisée pour parfumer des liqueurs, des crèmes glacées, voire certains sodas.

bricks

bricks aux amandes et à la cannelle, enrobées de miel

Huile / 125 g d'amandes mondées / 75 g de sucre en poudre / 1 cuil. à soupe d'eau de fleur d'oranger / Deux pincées de cannelle moulue / 20 g de beurre / 15 feuilles de brick / Miel liquide.

● ● ● ❱❱ ❱❱ 15 PIÈCES – PRÉP. : 25 MIN – CUISS. : 3 MIN/PIÈCE

1 · Verser de l'huile dans une poêle et faire chauffer. Y faire griller la moitié des amandes.

2 · Verser l'autre moitié des amandes dans le bol d'un mixeur. Ajouter le sucre, l'eau de fleur d'oranger et les amandes grillées. Mixer le tout rapidement.

3 · Ensuite, ajouter la cannelle moulue et le beurre. Mixer une nouvelle fois, jusqu'à obtention d'une pâte compacte.

4 · Disposer les feuilles de brick sur un plan de travail. Déposer 1 cuillerée à café de pâte aux amandes à environ 2 cm du bord inférieur de chaque feuille. Rabattre les 2 côtés de la feuille sur la farce, dans la longueur, puis, en commençant par le côté farci, plier et replier en biais de manière à former un triangle.

5 · Faire chauffer de l'huile dans une poêle et y faire frire les bricks pendant 3 minutes, l'un après l'autre. Au fur et à mesure de leur cuisson, les tremper dans le miel liquide et laisser égoutter.

Il n'y a rien de plus simple que de monder soi-même des amandes. Il faut les plonger 2 minutes dans de l'eau bouillante, puis les égoutter et les passer sous l'eau froide. La peau de ces amandes va s'éliminer d'un simple petit coup d'ongle.

bricks au brocciu et au miel du maquis, à la mode corse

200 g de noix, noisettes et amandes mélangées / 3 cuil. à soupe de miel du maquis / 250 g de brocciu / 1 zeste de citron jaune non traité, de qualité biologique certifiée, râpé / 1 œuf entier battu / 30 g de raisins secs / 12 feuilles de brick / 25 g de beurre fondu.

● ● ● ❯❯ 4 PERS. – PRÉP. : 20 MIN – CUISS. : 15 MIN

1 ▸ Hacher grossièrement les noix, les noisettes et les amandes dans un bol. Ajouter 2 cuillerées à soupe de miel et mélanger de manière à bien enrober les fruits secs.

2 ▸ Mettre le brocciu dans une assiette creuse et l'écraser grossièrement à la fourchette. Saupoudrer de zeste de citron, puis incorporer l'œuf battu et le mélange aux fruits secs. Ajouter enfin les raisins secs et bien mélanger tous les ingrédients.

3 ▸ Disposer les feuilles de brick sur un plan de travail. Déposer 1 cuillerée à soupe de la préparation à environ 2 cm du bord inférieur de chaque feuille. Rabattre les 2 côtés de manière à former un rectangle, puis plier et replier de façon à former un triangle.

4 ▸ Disposer les bricks sur la plaque du four recouverte de papier sulfurisé, les badigeonner de beurre fondu et enfourner à 180 °C (th. 6). Faire cuire environ 15 minutes.

5 ▸ À la fin de la cuisson, sortir les bricks du four, les arroser avec le reste de miel et les laisser tiédir avant de déguster.

En accompagnement, prévoir une glace à la vanille ou, encore mieux, une délicieuse glace au miel.

bricks au chocolat et à la poire

4 poires / 20 g de sucre en poudre / 10 g de beurre / 10 feuilles de brick / 40 g de chocolat au lait concassé.

● ● ● ❯ ❯ 6 PERS. – PRÉP. : 25 MIN – CUISS. : 30 MIN

1 › Éplucher et équeuter les poires. Les couper en cubes, en retirant le cœur et les pépins.

2 › Verser 10 g de sucre en poudre dans une poêle et y faire dorer les poires. Incorporer alors le beurre et faire cuire 1 minute. Égoutter soigneusement les poires. Réserver le jus de cuisson.

3 › Disposer les feuilles de brick sur un plan de travail. Les couper en deux et replier la partie arrondie de chaque demi-feuille vers le bas. Les badigeonner légèrement de jus de cuisson, puis disposer 1 cuillerée à soupe de poires à 3 ou 4 cm du bord. Ajouter quelques petits morceaux de chocolat.

4 › Replier les demi-feuilles de brick garnies sur la préparation, de manière à former des triangles. Badigeonner une nouvelle fois avec un peu de jus de cuisson.

5 › Déposer ensuite les bricks dans un plat à four, saupoudrer du reste de sucre en poudre et enfourner à 200 °C (th. 6-7). Faire cuire 30 minutes, en retournant les bricks à mi-cuisson.

6 › Les sortir du four dès la fin de la cuisson et les servir tièdes.

Pour cette préparation, les poires Conférence et le beurre demi-sel sont à privilégier. En accompagnement, prévoir une petite sauce au chocolat.

Variante : il est possible d'intégrer une pincée de cannelle moulue lors de la cuisson des poires.

bricks au chocolat noir et à la cannelle

250 g de chocolat noir, de qualité artisanale / 15 cl de crème fraîche liquide / 20 g de beurre / 1 jaune d'œuf / Une pincée de cannelle moulue / 4 feuilles de brick / Sucre glace.

• • ❯ ❯ 4 PERS. – PRÉP. : 10 MIN – CUISS. : 5 MIN
REPOS : 30 MIN

1 Faire fondre le chocolat au bain-marie et le délayer peu à peu dans la crème fraîche liquide, avec le beurre et le jaune d'œuf. Ajouter la pincée de cannelle moulue. Glisser au réfrigérateur et laisser prendre au frais pendant 30 minutes environ.

2 Disposer les feuilles de brick sur un plan de travail et en beurrer une face. Déposer un peu de préparation au chocolat, légèrement durcie, sur chaque feuille et replier celle-ci de manière à former un rectangle.

3 Déposer les bricks sur la plaque du four couverte de papier sulfurisé et enfourner à 180 °C (th. 6). Faire cuire environ 5 minutes.

4 Saupoudrer de sucre glace dès la sortie du four et servir aussitôt.

La proportion de cannelle peut légèrement varier en fonction du goût ou de l'envie de chacun.

On n'a pas toujours du sucre glace sous la main. Il est éventuellement possible de le remplacer par du sucre en poudre mixé dans un moulin à café électrique.

bricks au chocolat noir et
à la cannelle p. 77

brick à la crème de marrons, saveur de cacao

2 œufs entiers / 250 g de crème de marrons / 200 g de fromage frais / 4 cuil. à soupe de cacao en poudre / 40 g de sucre en poudre / 3 feuilles de brick / 80 g de beurre fondu.

● ● ● ❱❱❱   4 PERS. – PRÉP. : 25 MIN – CUISS. : 40 MIN

1   Casser les œufs en séparant les blancs des jaunes. Monter les blancs d'œufs en une neige ferme.

2   Verser la crème de marrons dans un plat creux. Ajouter le fromage frais, la moitié du cacao en poudre, le sucre en poudre et les jaunes d'œufs. Mélanger intimement tous les ingrédients.

3   Disposer les feuilles de brick sur un plan de travail et les badigeonner légèrement de beurre fondu. Les superposer de manière à obtenir un rectangle.

4   Déposer la farce aux marrons sur un bord et rouler en forme de cigare. Refermer hermétiquement les bords vers l'intérieur. Enduire à nouveau de beurre.

5   Déposer la préparation, recouverte de papier sulfurisé, sur la plaque du four et enfourner à 210 °C (th. 7). Faire cuire 25 minutes environ. À la fin de cette cuisson, retirer le papier sulfurisé et poursuivre la cuisson pendant 15 minutes environ.

6   À la fin de la cuisson, sortir la préparation du four et laisser tiédir. Saupoudrer avec le reste de cacao en poudre juste avant de servir.

En accompagnement, prévoir un peu de crème fraîche.

bricks aux dattes, au miel et aux noix, en cigares

250 g de dattes / 300 g de noix décortiquées / 1/2 cuil. à café de cannelle moulue / 150 g de sucre en poudre / 10 feuilles de brick / 1 blanc d'œuf / Huile /1/2 l de miel liquide.

● ● ● ❯❯❯ 40 PIÈCES – PRÉP. : 30 MIN – CUISS. : 10 MIN

1 Laver et sécher les dattes avant de les dénoyauter. Les mélanger aux noix, puis hacher le tout. Ajouter la cannelle moulue et le sucre en poudre, et mélanger à nouveau. Façonner des petits boudins d'environ 3 cm de long avec la préparation.

2 Disposer les feuilles de brick sur un plan de travail. Les couper en quatre. Déposer une portion de farce aux dattes et aux noix sur un premier morceau de feuille de brick, posé grand côté vers le bas. Rabattre les bords et enrouler de manière à former un cigare. Coller avec le blanc d'œuf. Procéder de la même manière avec les autres feuilles de brick et le reste de la préparation.

3 Faire chauffer de l'huile dans une grande poêle et faire frire les bricks. À la fin de la cuisson, les égoutter rapidement sur du papier absorbant.

4 Verser le miel dans une casserole et le faire chauffer. Y tremper les bricks, l'une après l'autre. Servir aussitôt, bien chaud.

Si les dattes ont tendance à perdre leur couleur, ou si le sucre se cristallise à leur surface, il suffit de rincer les fruits à l'eau chaude, puis de les sécher très soigneusement avant de les utiliser en cuisine.

bricks aux framboises et aux mangues, parfum de vanille, en aumônières

4 mangues / 1 gousse de vanille / 3 cuil. à soupe de miel liquide / 1 orange fraîchement pressée / 6 feuilles de brick / 40 g de beurre fondu / 100 g de framboises fraîches.

● ● ● 〉〉 4 PERS. – PRÉP. : 15 MIN – CUISS. : 10 MIN

1 › Peler les mangues et prélever leur chair. Fendre la gousse de vanille dans sa longueur et en extraire toutes les petites graines.

2 › Mixer la chair de 1 mangue et y incorporer les graines de vanille. Réserver au frais. Couper le reste de chair de mangue en morceaux.

3 › Verser le miel dans une poêle et faire chauffer. Y faire revenir les morceaux de mangue jusqu'à ce qu'ils soient dorés. À ce moment, les déglacer avec le jus d'orange.

4 › Disposer les feuilles de brick sur un plan de travail. Utiliser 2 de ces feuilles pour y découper 4 disques. Badigeonner les autres feuilles de brick avec le beurre fondu. Disposer les disques de pâte au centre de ces feuilles beurrées, puis y répartir les morceaux de mangue et les framboises. Napper du jus au miel et à l'orange, puis refermer les aumônières avec de la ficelle alimentaire.

5 › Les disposer alors sur la plaque du four et enfourner à 180 °C (th. 6). Faire cuire 5 minutes.

6 › À la fin de la cuisson, sortir les aumônières du four et retirer la ficelle alimentaire. Les dresser sur des assiettes de service et les servir aussitôt, avec le coulis de mangues en accompagnement.

Ce n'est pas sa couleur qui permet de reconnaître une mangue bien mûre. La seule manière de connaître son degré de maturité est de la prendre en mains : elle doit être souple, mais pas molle.
La mangue n'est pas toujours facile à éplucher. Pour y arriver sans problème, il faut dégager le noyau plat en taillant le fruit de part et d'autre et le plus près possible de ce noyau. Ensuite, il ne reste plus qu'à évider la chair à l'aide d'une cuillère à soupe.

bricks au fromage frais, saveur d'eau de fleur d'oranger

200 g de fromage frais / 50 g de beurre / 2 cuil. à soupe de miel liquide / 1 cuil. à café d'eau de fleur d'oranger / 6 feuilles de brick / Huile.

● ● ● ❭ ❭ ❭ **6 PERS. – PRÉP. : 15 MIN – CUISS. : 16 MIN**

1 · Mettre le fromage frais dans une casserole. Y ajouter le beurre et le miel liquide, puis mettre sur le feu et faire cuire 10 minutes, sans cesser de remuer. Hors du feu, ajouter l'eau de fleur d'oranger et bien mélanger.

2 · Disposer les feuilles de brick sur un plan de travail et les couper en deux. Répartir la préparation au bord de chaque demi-feuille, puis replier de manière à former un triangle.

3 · Faire chauffer de l'huile et y faire frire les bricks pendant 6 minutes environ, en les retournant à mi-cuisson. À la fin de la cuisson, les égoutter rapidement sur du papier absorbant. Servir aussitôt, bien chaud.

L'eau de fleur d'oranger, que l'on trouve notamment dans les épiceries maghrébines et moyen-orientales, est extraite du bigaradier, un arbrisseau originaire d'Inde et qui fournit des oranges amères. L'hydrolat de fleur d'oranger amer possède un parfum très doux qui a la réputation d'être bénéfique et apaisant, notamment pour les jeunes enfants : il favorise leur sommeil et leur permet de se détendre. En cuisine, l'eau de fleur d'oranger entre dans la composition de nombreux desserts, pâtisseries, confiseries et autres gourmandises toutes plus délicieuses les unes que les autres.

bricks

bricks au miel et à la glace à la pistache, en corolles

3 feuilles de brick / 40 g de beurre fondu / 3 cuil. à soupe de miel liquide / 6 boules de glace à la pistache / 12 amandes effilées.

● ● ● ❱ ❱ ❱ 6 PERS. – PRÉP. : 10 MIN – CUISS. : 5 MIN

1 Disposer les feuilles de brick sur un plan de travail. Badigeonner de beurre fondu une première feuille de brick. Superposer une deuxième feuille et la badigeonner aussi. Superposer la troisième feuille, sans la beurrer.

2 Découper dans ce montage 6 disques plus grands que les ramequins. Tapisser ensuite ces ramequins avec les disques de brick, en les faisant déborder de manière à former des corolles. Enfourner à 180 °C (th. 6) et faire cuire 5 minutes.

3 Verser le miel dans une casserole et le faire tiédir.

4 À la fin de la cuisson, démouler délicatement les corolles et les disposer sur des assiettes de service. Les remplir avec une boule de glace à la pistache, arroser de miel encore tiède et disposer les amandes effilées.

5 Servir aussitôt.

Variante : il est possible de remplacer la glace à la pistache par une glace à la vanille.

Pour plus de facilité, il faut toujours sortir une crème glacée environ 10 à 15 minutes avant de la servir. De cette manière, elle sera plus facile à façonner en boules et sera présentée délicieusement moelleuse et non dure comme de la pierre.

bricks aux pommes et aux abricots

6 abricots / 4 pommes / 4 feuilles de brick / 5 à 6 cuil. à soupe de confiture d'abricots / 25 g de beurre.

● ● ● ❭❭❭ 4 PERS. – PRÉP. : 10 MIN – CUISS. : 15 MIN

1   Laver les abricots et les dénoyauter avant de les couper en morceaux. Éplucher les pommes, puis les couper en fines tranches en éliminant le cœur et les pépins.

2   Mettre ces fruits dans une casserole et faire cuire environ 10 minutes, sans cesser de remuer.

3   Disposer les feuilles de brick sur un plan de travail. Déposer au centre d'une feuille quelques lamelles de pomme et quelques morceaux d'abricot. Replier les côtés de la feuille de brick sur les fruits, de manière à obtenir un carré bombé par les fruits. Procéder de la même manière pour les autres feuilles de brick et le reste des ingrédients.

4   Verser la confiture d'abricots dans une casserole et faire chauffer pendant 2 minutes environ, jusqu'à obtention d'un sirop.

5   Mettre le beurre dans une poêle et faire fondre. Y déposer les bricks et les faire cuire pendant 4 minutes, en les retournant à mi-cuisson.

6   À la fin de leur cuisson, répartir les bricks sur des assiettes de service, les arroser très légèrement de sirop d'abricots et servir aussitôt, bien chaud.

Variante : pour compléter le décor, il est possible d'ajouter quelques fruits rouges à côté des bricks, dans les assiettes de service.
À l'achat, ne choisir que des abricots bien souples et joliment orangés.

bricks au riz, saveur d'eau de fleur d'oranger

15 cl de lait entier / 85 g de riz / 25 g de beurre / 1 cuil. à soupe d'eau de fleur d'oranger / 200 g de sucre en poudre / 20 g d'amandes mondées et hachées / 20 feuilles de brick / Huile / Sel.

● ● ● ❯❯❯ 20 PIÈCES – PRÉP. : 15 MIN – CUISS. : 30 MIN

1. Verser le lait dans une casserole, ajouter 25 cl d'eau fraîche et faire bouillir. À ce moment, ajouter le riz et le beurre. Saler modérément, puis poursuivre la cuisson environ 10 minutes. Incorporer alors l'eau de fleur d'oranger et le sucre en poudre. Continuer la cuisson jusqu'à ce que le riz ait absorbé tout le liquide. Retirer la préparation du feu et y ajouter les amandes.

2. Disposer les feuilles de brick sur un plan de travail. Déposer sur chaque feuille 1 cuillerée à soupe de préparation, à environ 2 cm du bord inférieur. Rabattre alors les 2 côtés sur la farce de manière à obtenir un rectangle. En commençant par le côté farci, plier et replier de façon à obtenir un triangle.

3. Faire chauffer de l'huile dans une poêle et y faire frire les bricks pendant 3 minutes environ, en les retournant à mi-cuisson. À la fin de la cuisson, les égoutter rapidement sur du papier absorbant. Servir aussitôt, bien chaud.

Au moment de servir, il est possible de saupoudrer un peu de cannelle moulue sur les bricks.

Si le liquide de cuisson est complètement absorbé par le riz avant que sa cuisson soit terminée, l'astuce consiste à ajouter un peu d'eau (ou un peu de bouillon pour certaines préparations salées), par petites quantités, et à poursuivre la cuisson jusqu'à ce que les grains de riz soient tendres. En revanche, si le liquide n'est pas complètement absorbé lorsque le riz est cuit, il suffit d'égoutter soigneusement ce dernier.

table
des matières

Introduction   › 03
Achat, précautions et conseils   › 04
Cigare, rectangle ou triangle   › 06

Saveurs classiques
Bricks aux courgettes et aux tomates, en tarte   › 08
Bricks aux épinards et à la feta, comme en Grèce   › 10
Bricks aux escargots de Bourgogne et au lard fumé, en aumônières ›   13
Bricks au fromage de chèvre et à la poire, en corolles   › 14
Bricks au fromage de chèvre, aux kiwis et au miel   › 16
Bricks aux trois fromages et à la tapenade d'olives   › 16
Bricks à la ricotta et aux courgettes   › 19
Bricks à la ricotta et aux tomates séchées   › 19
Bricks aux poireaux, aux épinards et aux pignons de pin   › 20
Bricks à la tomate et à la truffe   › 22
Bricks à l'œuf et à la coriandre   › 22
Bricks aux crevettes et au piment   › 25

Bricks aux noix de Saint-Jacques et aux légumes, en aumônières › 26
Bricks au poisson et aux crevettes, saveur de paprika › 29
Bricks aux fruits de mer › 30
Bricks au saumon frais › 30
Bricks au saumon fumé et au chèvre frais › 32
Bricks au thon, en cigares › 34
Bricks aux foies de volaille et aux champignons, en aumônières › 36
Bricks au foie gras de canard et à la confiture de figues › 38
Bricks au foie gras de canard et aux poires, à la façon des nems › 39
Bricks aux champignons des bois et au canard confit,
parfum d'orange › 42
Bricks au poulet, aux épinards et au fromage de chèvre › 45
Bricks à la viande de bœuf hachée et au piment › 46

Parfums exotiques
Bricks aux carottes et aux oignons, saveur de curry › 48
Bricks aux carottes et au soja, parfumés au cumin et à la coriandre,
en cigares › 50
Bricks à la mozzarella et aux tomates confites, en tartelettes › 52
Bricks aux noix de Saint-Jacques, façon indienne, en aumônières › 54
Bricks aux fruits de mer et aux vermicelles chinois, en corolles › 55
Bricks aux merguez, comme au Maghreb, en cigares › 58
Bricks à la viande de bœuf et aux pommes de terre, à la marocaine › 60
Bricks à la viande de bœuf, parfum de cumin, en cigares › 62
Bricks à la viande de veau et aux abricots secs,
à la manière orientale › 64
Bricks à l'agneau haché et à la harissa › 67
Bricks à l'agneau haché et à la purée de petits pois épicée › 68
Bricks à l'agneau haché et aux raisins secs › 70

Pour terminer en douceur
Bricks aux amandes et à la cannelle, enrobées de miel › 72
Bricks au brocciu et au miel du maquis, à la mode corse › 74
Bricks au chocolat et à la poire › 76
Bricks au chocolat noir et à la cannelle › 77
Brick à la crème de marrons, saveur de cacao › 80
Bricks aux dattes, au miel et aux noix, en cigares › 82
Bricks aux framboises et aux mangues, parfum de vanille,
en aumônières › 84
Bricks au fromage frais, saveur d'eau de fleur d'oranger › 86
Bricks au miel et à la glace à la pistache, en corolles › 88
Bricks aux pommes et aux abricots › 90
Bricks au riz, saveur d'eau de fleur d'oranger › 92

Imprimé en France

© Dormonval, 2009
Dépôt légal 1er trim. 2009 n° 3 543
Imprimé en U.E.